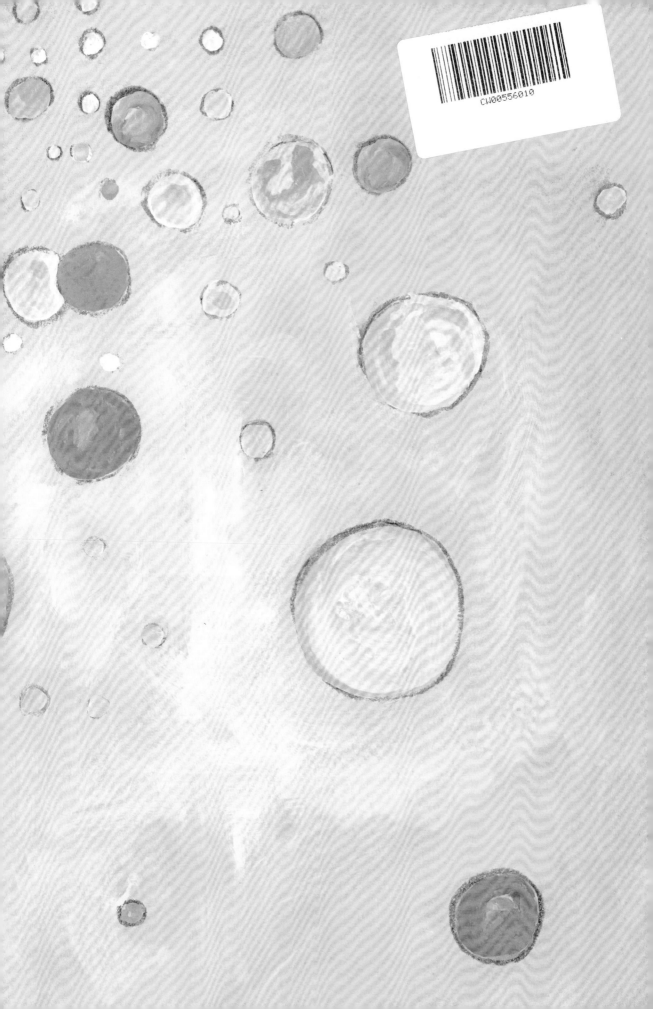

Original title : *Crotte de nez*

Text and illustrations by Alan Mets

©2000 *l'école des loisirs*, Paris

Translation copyright ©2013 by Beijing Science and Technology Publishing Co., Ltd

著作权合同登记号　图字：01-2008-4733

图书在版编目 (CIP) 数据

挖鼻孔的大英雄 /(法) 麦特著；

文小山译 . — 北京：北京科学技术出版社，2013.4 (2017.6重印)

ISBN 978-7-5304-6402-1

Ⅰ . ①挖… Ⅱ . ①麦… ②文… Ⅲ . ①儿童文学 – 图画故事 – 法国 – 现代 Ⅳ . ① I565.85

中国版本图书馆 CIP 数据核字 (2012) 第 294337 号

挖鼻孔的大英雄

作者：〔法〕阿兰·麦特　　译者：文小山　　策划：向静

责任编辑：郑京华　　责任印制：张良　　图文制作：樊润琴

出版人：曾庆宇　　出版发行：北京科学技术出版社

社址：北京西直门南大街16号　　邮政编码：100035

电话传真：0086-10-66161951（总编室）

0086-10-66161952（发行部传真）　　0086-10-66113227（发行部）

电子信箱：bjkj@bjkjpress.com　　网址：www.bkjpress.com

经销：新华书店　　印刷：北京盛通印刷股份有限公司

开本：787mm×1120mm　1/16　　印张：2.5

版次：2013年4月第2版　　印次：2017年6月第8次印刷

ISBN 978-7-5304-6402-1/I·228

定价：29.80元

挖鼻孔的大英雄

〔法〕阿兰·麦特 著　文小山 译

北京科学技术出版社

小猪鲁鲁和小羊莉莉是邻居。

每天早上，

他们俩都一起穿过森林去上学。

爸爸妈妈知道两个孩子每天结伴走，

都很放心。

小猪鲁鲁有一件心事：他喜欢莉莉。

但鲁鲁不知道该怎么表白。

有一天早上，天空是那么蓝，

小猪鲁鲁想：

今天，我一定要告诉她。

莉莉走出家门，来到鲁鲁面前，

脸上带着微笑。

鲁鲁正要开口，

莉莉却说：

"明天我要搬走了。"

"啊？为……为……为什么？"鲁鲁问。

"你没听说大灰狼的事？"

"呃……没。"鲁鲁低声说。

"这里来了一只大灰狼。

你知道吗？他专门抓小孩，然后把他们吃掉！

所以明天我要搬走了。

不过，你不用担心！"

然后，莉莉像往常一样昂首挺胸走在前面。

鲁鲁跟在她后面，什么也没说，

但心里一直搞不明白为什么他不用担心。

到了森林深处，

一只凶恶的大灰狼突然从橡树后面跳了出来。

眨眼间，他就捉住了两个小家伙，

把他们扔进了一只大袋子里。

一路上莉莉都在大喊大叫，乱蹬乱踹。

鲁鲁却很安静，

嘴边还带着一丝笑意。

哦，他终于能和自己喜欢的女孩子离得这么近了。

到了牢房里，
大灰狼把他们从袋子里倒出来，
仔细地把每一把锁都锁好，
然后就出去了。
"怎么办？你有没有办法？"莉莉问。

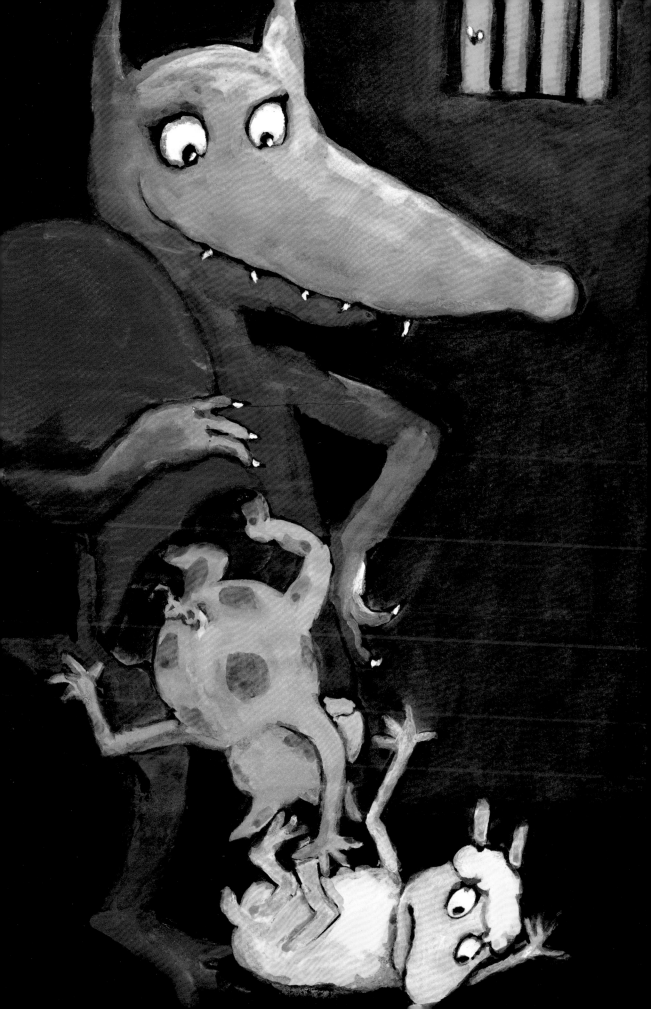

鲁鲁的嘴边仍然带着一丝微笑，没有说话。

莉莉气愤地说：

"你不仅脏兮兮的，而且还是个窝囊废！"

她转过身不理他了。

鲁鲁不笑了，他有些生气了：

他每个月都要洗一次澡！

在她面前从没把手指伸进过鼻孔，

从没放过屁，

更没在屁股上挠过痒痒！

牢房的门开了，
大灰狼说："我要准备吃大餐了！
你们谁先来呢？"
他想了想又说：
"人们常说'女士优先'……"
听到这里，鲁鲁连忙走上前去：
"尊敬的大灰狼先生，她的味道比我好！
您不认为最好的要留到最后享用吗？"
"嗯，你说得不错，小男孩！"
大灰狼饶有兴致地说，
"那么跟我来吧！
我喜欢你这样的个性……"

大灰狼的餐具擦得很干净，
闪闪发光，让人不寒而栗。
鲁鲁观察着这个可怕的家伙：
他的指甲和牙齿洁白发亮，
浑身还散发出淡淡的香水味道。
鲁鲁想：肯定是男士香奈尔5号香水！
他想起了莉莉的指责，
便对自己说：
"我什么也不是，
只是一只可怜的臭小猪！
就让我来对付大灰狼吧！"

大灰狼慢慢向鲁鲁走过来，
手里握着一把
刚刚从消毒柜里拿出来的餐刀。
鲁鲁抬头盯着大灰狼的眼睛，
把手指伸进了鼻孔……

鲁鲁把手指拿出来的时候，
上面粘着一大块黏糊糊的鼻屎。
大灰狼一下子傻了，
瞪大了眼睛看着他。
接下来，
鲁鲁像个行家似的，
熟练地把鼻屎放进了嘴里。

大灰狼的脸慢慢变了颜色。
手里的刀"当"的一声掉在了地上。
鲁鲁又把手指伸进了另一个鼻孔，
带出来一团更大的鼻屎，
然后愉快地大嚼起来。

已经变绿的大灰狼在愤怒中变成了红色。

他向小猪扑去。

"噗!"

鲁鲁放了一个超级大臭屁。

一股可怕的臭味弥漫开来。

这时全身已经变成黄色的狼猛地冲向窗口。
他打开窗户逃跑了，跑得非常非常远，
远得人们再也没在附近见到他了。
鲁鲁笑着关上了窗户，开始找浴室。

大灰狼的浴室非常华丽，
里面有一个浴缸，可以洗泡泡浴。
鲁鲁放了一缸热水，倒了一大瓶浴盐，
然后跳进了浴缸。

当鲁鲁打开牢房的门时，
莉莉看到的是全世界最干净的小猪。
而且，鲁鲁身上还散发出一种优雅的清香。
莉莉走上前去，在他的脸上亲了一下，
然后问："你是怎么做到的？"
鲁鲁回答说："我只是把手伸进鼻孔里，
又放了一个屁而已。"

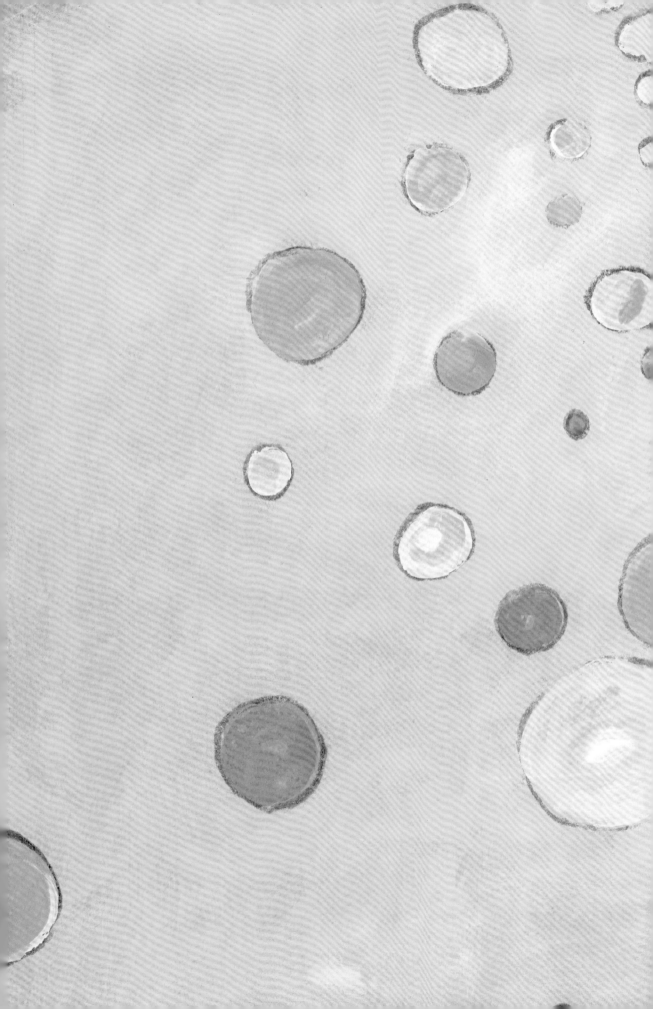